当当网终身五星级童书

我的个人演唱会

据 [法] 克利斯提昂·约里波瓦同名绘本动画片改编

郑迪蔚 / 编译

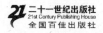

二十一世纪出版社
21st Century Publishing House
全国百佳出版社

下蛋，下蛋，总是下蛋！
生活中肯定有比下蛋更好玩的事情！
我的个人演唱会就要开始啦……

天还没亮，农场里静悄悄的，大家都还在睡觉。

卡梅利多早早地起床，爬上草垛，学着爸爸皮迪克的样子，想要叫醒太阳。他深深地吸了口气，顿时觉得自信满满。

“喔喔喔！”
卡梅利多越喊越起劲。

“天哪！出什么事了？”
贝里奥猛地从草垛里钻出来惊呼道。

卡门也被吵醒了，睡眼蒙眬地探出头：

“贝里奥，是谁哭得那么难听？”

"是卡梅利多在上面喊呢。"贝里奥捂着耳朵说。

"卡梅利多？他想干什么？"

"我是一只公鸡！我要唱歌！一个好的歌手要勤于练习。"卡梅利多张开翅膀，想象自己是舞台上的明星。

"我快受不了了。"贝里奥痛苦地说。

"我的天哪！照此下去，我要考虑搬家了！"

　　"够了！是谁大清早不睡觉，还吵得别人睡不了觉？"

　　鸡舍里乱作一团，母鸡们被这突如其来的噪音惊得四处躲藏。

　　"太难听了！"

　　"饶了我的耳朵吧！"

"喔喔喔!"卡梅利多越唱越带劲,他站在草垛上摆出各种姿势。

"如果卡梅利多继续唱下去,我怕所有的鸡蛋都要变成摊鸡蛋饼了!"卡梅拉担心地说。

"年轻的小公鸡练练嗓很正常!他将来要接我的班的,你明白吗,亲爱的?"

"安静些!我的天哪!我们再也别想踏踏实实睡觉了!"刺猬尼克被惊得滚下围墙。

9

"嘿，听着！我受够了你的破锣嗓，讨厌极了！"小胖墩冲着卡梅利多喊道。

"那是你不懂艺术！"卡梅利多不服气地说。

"什么艺术？是噪音！"大嗓门的挑衅惹恼了卡梅利多。

"我让你尝尝拳头的厉害！"

啊！

"够了！都给我住手！"皮迪克制止道。

"爸爸……"卡梅利多委屈地望着皮迪克。

皮迪克没有理会卡梅利多的解释。"卡梅利多！你马上去别处练声！其他人，回窝！我警告你们，我不想再听到打架的声音！"

"好吧！我走就是！天才总是会被误解！"

卡梅利多独自走出鸡舍，卡门非常同情哥哥，也跟着跑了出去。

　　"别生气，卡梅利多，总有一天你会展示出自己的天分，让他们看着吧！"卡门安慰道。

　　"是啊，他们对你不公平！"贝里奥附和。

　　卡门和贝里奥的话让卡梅利多感觉好多了。"真的？你们真这么觉得？"

　　"你会一展歌喉的，我相信！"卡门肯定地点点头。

　　这时，三个小伙伴突然感觉地面在晃动，远方传来一阵急促的马蹄声。

一辆疾驰的马车朝他们飞奔过来。车后扬起漫天尘土。

"快躲起来！"卡门和贝里奥马上跑进路边的灌木丛中。

而卡梅利多站在路中间，对迎面而来的马车一点都不恐惧。

"来吧，看看我们谁更厉害！"

卡梅利多和马车眼看就要撞上了……

大马被刺耳的尖叫声吓坏了。

"喔喔喔！"卡梅利多冲着大马使劲叫起来。

"他疯了吧？"贝里奥捂住眼不敢看下去。

只听见大马一声嘶鸣，前蹄高高抬起，从卡梅利多头上
一跃而过……

"哇，好悬啊！"
卡梅利多捂着脑袋。

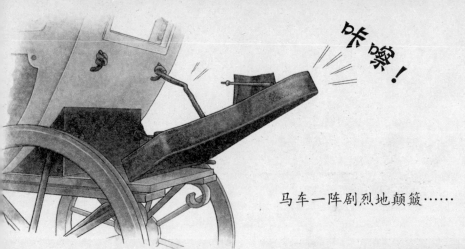

咔嚓！

马车一阵剧烈地颠簸……

"糟糕！我的大键琴！完了，全摔坏了！"

一个小男孩焦急地趴在马车的窗户上。

吆！

大键琴重重地摔在地上。

　　一刻也不能耽误，小男孩来不及喊车夫停车，便猛地拉开车门从飞驰的马车上跳了下来。

　　卡梅利多也不知道刚才自己哪来的胆子，居然敢对马车大喊，事后也有些后怕。他被卡门一把拉过去，躲在路边的灌木丛里。

　　"这下你可闯祸了，卡梅利多。"

"他好像很生气！"卡梅利多担心道。

"小点声，别让他听到。"卡门试图捂住卡梅利多的嘴。

"这事不赖我！"贝里奥蜷缩在灌木丛中，不敢往外看。

小男孩听到灌木丛中窸窸窣窣的，似乎有动静，站起来朝灌木丛走去。

卡梅利多从树丛里跳出来，主动承认错误。

"是我的错，先生，是我唱歌惊到了您的大马，对不起。"

"刚才就是你唱歌，让马受惊了？啦啦啦，降B大调！你唱得有点吃力！"

"您是音乐家吗？"卡梅利多欣喜地问。

"我是沃尔夫冈·阿玛多伊斯·莫扎特，音乐家！"

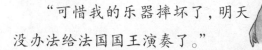

"可惜我的乐器摔坏了，明天没办法给法国国王演奏了。"

"法国国王？"

"是的！我已经为好几个国王演奏过了！"

"我的天哪！他真是大音乐家！"卡梅
利多越想越兴奋，搂住贝里奥，"如果
他能给我上课，看鸡窝里的那帮家伙
还敢说什么！"

"你唱歌的时候，我就把耳朵塞
住！"贝里奥小声嘀咕。

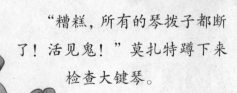

"糟糕，所有的琴拨子都断
了！活见鬼！"莫扎特蹲下来
检查大键琴。

"什么——鬼？"贝里奥吓得一屁股坐在地上。

"胆小鬼，是琴拨子断了，当琴键被按动时，要通过拨子拨动一根金属丝弦发音！"卡门解释道。

"我需要几根羽毛才能修复琴拨子。"莫扎特犯愁地抚摸着大键琴。

"我知道哪儿有羽毛，但你能先帮我个忙吗？"卡梅利多请求道。

"可以，什么事？"

"教教我怎么才能唱好歌，行吗？"

"没问题！"莫扎特痛快答应。

21

卡梅利多清了清嗓子，对着莫扎特唱起来。

"喔喔喔！啦啦啦！"

"你的嗓音还是不错的。现在你
跟着我唱！"莫扎特吹起口哨。

"第一课，听好，卡梅利多！"

卡梅利多试着随莫扎特
的口哨声重新唱起了歌。

"降 E 调, 听好, 卡梅利多! E 调! "莫扎特耐心地指导。

卡梅利多越唱越好, 和卡门、贝里奥随着节奏跳起舞来。

就在小鸡们开心歌唱的时候, 他们不知道一切都被树丛中的坏老鼠们看在眼里。

"送上门的大餐但没法吃。"田鼠细尾巴遗憾地舔了舔嘴。

"哦? 真的不能吃吗? "田鼠克拉拉奇怪地问。

"你们说错了, 这就是我想要的大餐, 走, 跟上去! "普老大命令道。

三个小伙伴帮莫扎特抬着大键琴朝鸡舍走去。

"我教你们一首歌，跟我唱：

♪摇啊摇，你的小船♪

轻轻地，放入小溪 ♫♪

♪欢快地，欢快地，欢快地，欢快地♪

♫生活就是一场梦……♪

小胖墩和大嗓门正在草
垛旁打闹，突然，小胖墩远远
地望见有一行人朝鸡舍走来。

"糟糕，是卡梅利多，他回
来了！"

大嗓门拉着小
胖墩给大家报信。

"不好啦！卡梅利多
带了个陌生人回来了！快
躲起来吧！"

"他还带着重型武
器！"小胖墩用手比画着。

♪欢快地，欢快地，欢快地♪♫
♫生活就是一场梦……啦啦啦……♪

"真好听！"小凯丽惊讶地瞪大了眼睛。

"真不敢相信，是卡梅利多唱的吗？"痘痘妹疑惑地问。

26

"这小子出去一趟变出息了。"皮迪克简直不敢相信自己的耳朵。

"卡梅利多现在可是歌唱家了呢！"卡门为自己的哥哥感到骄傲。

"爷爷，爸爸，我给你们介绍我的新朋友，沃尔夫冈·阿玛多伊斯·莫扎特，我的歌唱老师。"

"很高兴认识你们。"莫扎特有些不好意思。

小鸡们听到卡梅利多的歌声都围过来，叽叽喳喳地议论。

"大家安静点！"卡门站出来发言，"莫扎特先生现在需要一些你们的羽毛来修复大键琴。好了，女士们，谁觉得自己有最好看的羽毛，请往前走一步！"

话音刚落，母鸡们就挤了起来。

"是我，我才有最好看的羽毛，瞧瞧多顺滑、多光亮！"痘痘妹毫不谦虚地说。

"撒谎！我的羽毛才是最好的！"小凯丽不甘示弱。

"哦，不，这个位置是留给我的！"

"瞧瞧你的毛都老成什么样了！还在这儿争！"

大家的反应完全超乎卡门的预料。

"是我，听到没有！没人比我强！"

"哎哟！你敢打我的头！"

"让开！"

"就不让开！"

莫扎特没想到大家会为羽毛的事
闹得不可开交。

卡门急了，冲着大家大喊：

"都给我安静点！让莫扎特先生
自己挑选！"

都给我安静点！

母鸡们乖乖地排成一排，翘起尾巴。

莫扎特弯下腰仔细地挑选起来。

莫扎特把满意的羽毛拔下来，拿
在手上仔细挑选。

"这两根都不错，到底用
哪根呢？"

刺猬皮克和尼克坐在围墙上看热闹。

"哈哈，皮克，咱们来
打个赌，我赌痘痘妹赢，
三根刺！"

"成交！"

公鸡爷爷看见莫扎特朝自己走过来，有些害怕，直
往后退，一个劲儿地摇头。

"不！你要干什么？
不行！"

"爷爷，我还缺
一根长一些的。"

"这下齐了。"莫扎特满意地看着手中的羽毛。

哎哟！

"哈哈,你输了!你就庆幸吧,不用拔我们的刺去修琴!但是做成牙签还是蛮不错的。"

莫扎特很快修好了琴。卡梅利多随着音乐唱起歌来。

"非常棒!你可以开个人演唱会了。"莫扎特建议道。

没等卡梅利多回答,卡门抢着宣布:"大家听好!为了感谢莫扎特先生,卡梅利多邀请大家明天来听他的个人演唱会。"

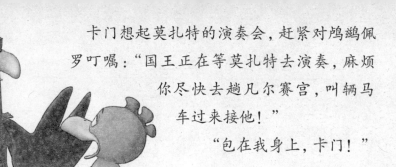

卡门想起莫扎特的演奏会,赶紧对鸬鹚佩罗叮嘱:"国王正在等莫扎特去演奏,麻烦你尽快去趟凡尔赛宫,叫辆马车过来接他!"

"包在我身上,卡门!"

小鸡们为卡梅利多的演唱会忙碌地准备着,躲在围墙后的三只坏田鼠却在暗自窃喜。

"唱吧跳吧。小鸡们,今天晚上,我们要亲自为你们举办一场音乐会,主角是我普老大!"

"啊,太好了,但你会弹琴吗,头儿?"克拉拉完全没弄明白状况。

33

宁静的夜晚,卡梅利多坐在围墙上,仰望着星空,小心脏怦怦直跳。

"爷爷,我睡不着,对明天的演唱,我有点紧张!"

"我年轻的时候,也……"公鸡爷爷正要对卡梅利多讲故事,突然发现有三个黑影鬼鬼祟祟地朝鸡舍跑去。

"爷爷，你看，是他们……"

"嘘！别出声！"

公鸡爷爷小声示意卡梅利多，"我们悄悄地跟上。"

正在草垛上呼呼大睡的莫扎特，被卡梅利多给摇醒了。

"出什么事了？"看着神色紧张的卡梅利多，莫扎特立刻清醒了。

嘘！

　　田鼠普老大首先看中了莫扎特的大键琴,他左摸摸右摸摸,又掂量掂量大键琴的分量,自言自语:"有了这个宝贝,我们想要多少鸡蛋就有多少鸡蛋!哈哈哈!"田鼠普老大忍不住笑出声来,"我要把它拖走。"

　　"哦不!我决不允许田鼠把大键琴偷走!"莫扎特非常着急,"卡梅利多,你的演唱会要提前举行了!"

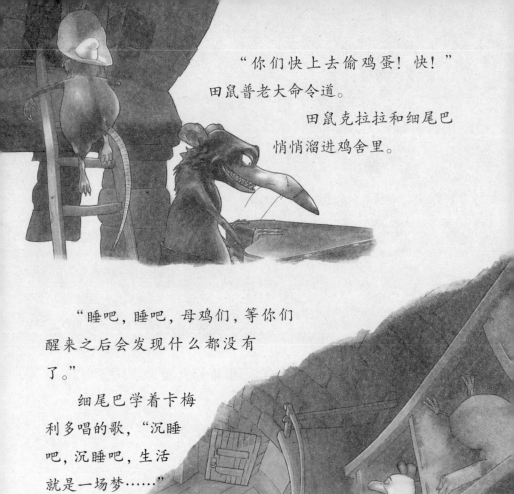

"你们快上去偷鸡蛋！快！"
田鼠普老大命令道。

田鼠克拉拉和细尾巴
悄悄溜进鸡舍里。

"睡吧，睡吧，母鸡们，等你们
醒来之后会发现什么都没有
了。"

细尾巴学着卡梅
利多唱的歌，"沉睡
吧，沉睡吧，生活
就是一场梦……"

"呵呵，这么多鸡蛋，看得我直眼晕。"

"轻点！蠢货，别把
母鸡们吵醒了。"细尾巴
提醒克拉拉。

"这个琴还挺沉，一、二、三，走你！"

莫扎特悄悄从后面打开琴盖，弹起来。

啦啦啦！

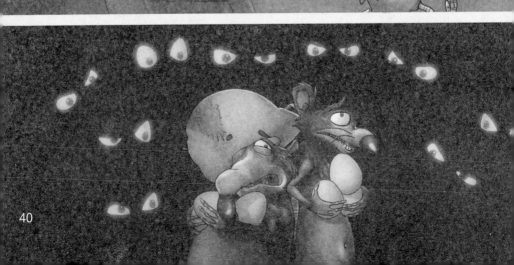

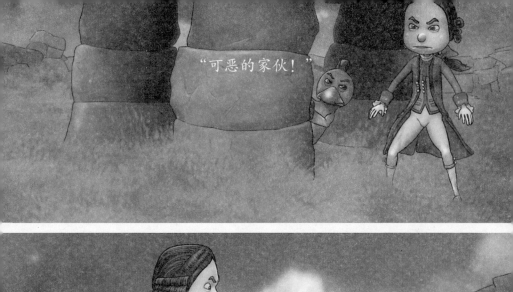

"可恶的家伙！"

"咦，哪儿来的声音？好恐怖！听得我浑身发麻。"

随着莫扎特越弹越快的节奏和卡
梅利多越飙越高的嗓音，三个
坏田鼠吓得扔下鸡蛋，捂
着耳朵落荒而逃。

逃命啊！
闹鬼啦！

"嘿！我还不知道音乐能
吓跑田鼠！最近一段时间是不
会见到他们了！"

第二天一早，鸬鹚佩罗把马车领到了农场。

"哦！没有你们的帮助，我的大键琴是修不好的！"莫扎特坐上车依依不舍地对卡梅利多说，"记住，每次练习时间长了，一定要让嗓子歇一歇！"

"再见！谢谢你的教导。"卡梅利多望着远去的马车挥手。

"现在请卡梅利多大师就
坐，个人演唱会开始……"

莫扎特使用的大键琴是一种古老的钢琴。现代钢琴是由以拨弦发音的大键琴和以撞弦发音的小键琴发展演变而来的。大键琴是由琴拨子拨动琴弦而发音的拨弦乐器。

莫扎特7岁的时候就在凡尔赛宫为法国国王路易十五演奏，是杰出的音乐天才，欧洲最伟大的古典音乐作曲家兼演奏家之一。

他的创作成就遍及了音乐的各个领域，但他最重要的成就当推歌剧，其中以《费加罗的婚礼》《唐璜》和《魔笛》最为杰出。交响乐也是莫扎特的创作中的重要部分。莫扎特的作品具有强烈的感染力，旋律优美、流畅深情，成为音乐殿堂里的瑰宝，在世间传唱。

他可比卡梅利多有名多了！

沃尔夫冈·阿玛多伊斯·莫扎特
（Wolfgang Amadeus Mozart, 1756.1.27 ~ 1791.12.5）

不一样的卡梅拉动漫绘本

据 [法] 克利斯提昂·约里波瓦同名绘本动画片改编

共 32 册

穿越历史 解读经典 活语幽默

下蛋，下蛋，总是下蛋！
生活中肯定有比下蛋更好玩的事情！
这次我们要到远方去探险……
莫扎特、小红帽、马可波罗、堂吉诃德、
达·芬奇、富兰克林这些历史上的名人都会
出现在我们的生活里……

D'après la collection de livres de Ch. Heinrich et Ch. Jolibois © Pocket Jeunesse. D'après la série animée réalisée par JL Francois – bible littéraire M. Locatelli & P. Regnard © Blue Spirit Animation / Be Films Titre de l'épisode « Concerto Maestro Carmelito » écrit par M. Locatelli / P. Regnard / P. Olivier Les P'tites Poules © Blue Spirit Animation

Chinese simplified translation rights arranged with Chengdu ZhongRen Culture Communication Co.,Ltd,

本书中文版权通过成都中仁天地文化传播有限公司帮助获得

据 [法] 克利斯提昂·约里波瓦同名绘本动画片改编

图书在版编目（CIP）数据

我的个人演唱会 / (法) 约里波瓦文；
(法) 艾利施绘；郑迪蔚编译.
-- 南昌：二十一世纪出版社,2013.4
（不一样的卡梅拉动漫绘本）
ISBN 978-7-5391-7650-5

Ⅰ.①我… Ⅱ.①约… ②艾… ③郑……
Ⅲ.①动画－连环画－作品－法国－现代
Ⅳ.①J238.7

中国版本图书馆CIP数据核字(2013)第048748号

版权合同登记号 14-2012-443
赣版权登字－04－2013－150

我的个人演唱会　　郑迪蔚 / 编译

策　　划	张秋林	郑迪蔚
责任编辑	黄　震	陈静瑶
制　　作	敖　翔	黄　瑾
出版发行	二十一世纪出版社	
	www.21cccc.com　cc21@163.net	
出 版 人	张秋林	
印　　刷	广州一丰印刷有限公司	
版　　次	2013年4月第1版　2013年4月第1次印刷	
开　　本	800mm×1250mm 1/32	
印　　张	1.5	
印　　数	1-60200册	
书　　号	ISBN 978-7-5391-7650-5	
定　　价	10.00元	

本社地址：江西省南昌市子安路75号　330009（如发现印装质量问题，请寄本社图书发行公司调换 0791-86512056）